La Plus Mignonne des petites Souris

Conte populaire raconté
et illustré par Étienne Morel

Père Castor ● Flammarion

© Flammarion 1953. Imprimé en France.
ISBN 978-2-0816-0110-9
ISSN 1768-2061

Voici la maison
de la famille Rongetout.

Voici la fille de Monsieur et Madame Rongetout :
la plus mignonne des petites souris.

Elle sait danser.

Elle sait tricoter.

Elle sait faire des gâteaux.

Elle sait jouer du piano.

4

– Il est temps de la marier,
dit Madame Rongetout.
– Il est temps de la marier,
dit Monsieur Rongetout.
Mais elle n'épousera
que le plus puissant personnage du monde,
car c'est la plus mignonne des petites souris.
Et personne d'autre n'est digne d'elle.

Monsieur Rongetout décide de marier sa fille avec le soleil.
– C'est le plus puissant personnage du monde.
C'est lui qui chauffe la terre et mûrit les grains de blé.
Et les grains de blé sont si bons !

Monsieur Rongetout fait ses préparatifs de départ.
Il veut aller voir le soleil pour lui demander d'épouser sa fille,
la plus mignonne des petites souris.
Voyez la belle redingote :

Il s'installe d'abord dans un train.
Mais les trains ne peuvent pas
aller jusqu'au soleil, n'est-ce pas ?...

Alors il choisit
un hélicoptère.

– Voilà
tout à fait ce qu'il me faut,
pense Monsieur Rongetout.

Et Monsieur Rongetout
monte, monte, monte…
et il arrive au palais du soleil.

Le soleil
vient de se lever ;
il reçoit Monsieur Rongetout
en robe de chambre.
– Voulez-vous épouser
ma fille ? demande
Monsieur Rongetout.
C'est la plus mignonne
des petites souris :
vous seul
êtes digne d'elle
puisque vous êtes

le plus puissant personnage du monde.
— Tu te trompes, dit le soleil.
Ce nuage qui passe là
est plus puissant que moi,
puisque je ne peux pas l'empêcher
de me cacher la terre.
— Alors vous n'êtes pas
celui qu'il faut à ma fille,
dit Monsieur Rongetout.

Et il descend, descend,
descend.

– Voulez-vous épouser ma fille ?
demande Monsieur Rongetout
au nuage.
C'est la plus mignonne
des petites souris :
vous seul
êtes digne d'elle
puisque

vous êtes
plus puissant
que le soleil
qui est le plus
puissant personnage
du monde. C'est lui-même qui vient de me le dire.

– Hélas ! le soleil s'est trompé, répond le nuage.
Le vent qui souffle est plus puissant que moi,
puisque je ne peux pas l'empêcher de m'emmener où il veut.

– Alors, vous n'êtes pas
celui qu'il faut à ma fille,
dit Monsieur Rongetout.

– Je vais aller voir ce vent…
Et voici, sur une colline, le moulin du vent.
    Quand ce moulin-là tourne ses ailes, quel courant d'air !…

– Voulez-vous épouser ma fille ? demande Monsieur Rongetout. C'est la plus mignonne des petites souris : vous seul êtes digne d'elle puisque vous êtes plus puissant que le nuage qui est plus puissant que le soleil qui est le plus puissant personnage du monde. C'est le nuage lui-même qui vient de me le dire.

– Hélas ! le nuage s'est trompé,
répond le vent.

Cette vieille tour que tu vois là-bas est plus puissante que moi puisque, depuis des années, je souffle dessus sans avoir pu l'abattre.

– Alors vous n'êtes pas celui qu'il faut à ma fille, dit Monsieur Rongetout. Je vais aller trouver cette tour…

Monsieur Rongetout est bien fatigué.
Il va tout de même trouver la vieille tour.
– Voulez-vous épouser ma fille ?
demande Monsieur Rongetout.
C'est la plus mignonne des petites souris :
vous seule êtes digne d'elle
puisque vous êtes plus puissante
que le vent,

qui est plus puissant que le nuage,
qui est plus puissant que le soleil,
qui est le plus puissant personnage
du monde.
C'est le vent lui-même
qui vient de me le dire.

– Hélas ! le vent s'est trompé,
répond la tour.

Le souriceau qui ronge ma plus grosse poutre
est plus puissant que moi puisque,
quand il aura fini de ronger,
je m'effondrerai sûrement.

Alors Monsieur Rongetout
va trouver le souriceau.

– Voulez-vous épouser ma fille ? demande Monsieur Rongetout.
C'est la plus mignonne des petites souris.

– Je connais depuis longtemps votre fille, répond le souriceau,
c'est bien la plus mignonne des petites souris,
et je serai très heureux de l'épouser.

Ainsi la plus mignonne des petites souris
épouse le souriceau,
et ils sont bien contents tous les deux.

Et toutes les souris de la noce s'amusent beaucoup
en se racontant les aventures
de Monsieur Rongetout.
Et Monsieur Rongetout est très satisfait puisque…

... sa fille épouse

celui qui est plus puissant que
la tour
qui est plus puissante que
le vent
qui est plus puissant que
le nuage
qui est plus puissant que
le soleil.

Imprimé par Pollina, Luçon - L53553, France - 03-2010 - Dépôt légal : 2ᵉ trimestre 1953
Editions Flammarion (n° L.01EJDNFP0110.C026)
Loi n° 49-956 du 16 juillet 1949 sur les publications destinées à la jeunesse